Contes du ciel et de la terre

Franck Sylvestre

Planète rebelle

« CONTER FLEURETTE »

Planète rebelle

Fondée en 1997 par André Lemelin, dirigée par Marie-Fleurette Beaudoin depuis 2002
7537, rue Saint-Denis, Montréal (Québec) H2R 2E7 CANADA
Téléphone : 514. 278-7375
info@planeterebelle.qc.ca
www.planeterebelle.qc.ca

Illustrations : élèves en arts plastiques de secondaire 1, école Sophie-Barat Annexe
Révision : Janou Gagnon
Correction d'épreuves : Diane Trudeau
Conception de la couverture : Marie-Eve Nadeau
Mise en pages : Marie-Eve Nadeau
Impression : Transcontinental Métrolitho

Les éditions Planète rebelle remercient le Conseil des Arts du Canada de l'aide accordée à leur programme de publication, ainsi que la Société de développement des entreprises culturelles du Québec (SODEC) et le « Gouvernement du Québec – Programme de crédit d'impôt pour l'édition de livres – Gestion SODEC ». Planète rebelle remercie également le ministère du Patrimoine canadien du soutien financier octroyé dans le cadre de son « Programme d'aide au développement de l'industrie de l'édition (PADIÉ) ».

Distribution en librairie :
Diffusion Prologue
1650, boul. Lionel-Bertrand, Boisbriand (Québec) J7H 1N7 CANADA
Téléphone : 450. 434-0306 – Télécopieur : 450. 434-2627
www.prologue.ca

Dépôt légal : 1er trimestre 2010
Bibliothèque et Archives nationales du Québec
Bibliothèque et Archives Canada
ISBN : 978-2-923735-05-4

À Ludo et Marilou.

ILLUSTRATIONS

Élyse de la Croizetière ➣ couverture et p. 13
Ixmucane Acosta-Hernandez ➣ p. 6-7
Muguel de Leon-Lamonde ➣ p. 8-9
Vanessa Lozito ➣ p. 10
Nerdjes Gahlouz ➣ p. 14-15
Jessica Monast ➣ 16-17
Radja Mahious ➣ p. 18
Christine Berzghal ➣ 20-21 et 4e de couverture
Mokhtar Benati ➣ p. 22-23
Léa Beauchemin-Laporte ➣ p. 25-26

★★★

Sarah El-Mohamad ➣ p. 28-29
Adnan Alaouie ➣ p. 30-31
Arthur Saugy-Arcand ➣ p. 32-33
Chrystian Lazo-Basilio ➣ p. 34-35
Luis Jorge Fuentes ➣ p. 36-37
Luis Munoz Pinzon ➣ p. 38
Guillaume Boisvert ➣ p. 40-41
Louis-Philippe Martin-Rivet ➣ p. 43
Choodlem Nick Andy Renelus ➣ p. 44-45
Dinh Hau Vu ➣ p. 46-47
Jacqueline Hernandez-Cruz ➣ p. 48-49 et 51
Gokulakrishnan Kanesaratnam ➣ p. 52-53

Certains dessins ont dû être partiellement
modifiés afin de permettre l'insertion du texte.

Jeunes enfants... grands enfants...
anciens enfants! Permettez la parole!

Je vais vous raconter des histoires qui datent
d'un temps tellement ancien qu'à cette époque-là,
le bon Dieu portait encore des couches-culottes!

... Des histoires qui datent d'un temps tellement ancien
qu'à cette époque-là, le Diable n'avait pas encore compris
qu'il avait été inventé juste pour nous embêter, ni n'avait pas
commencé à pratiquer ses activités... diaboliques!

... Des histoires qui datent d'un temps tellement ancien
qu'à cette époque-là, le blanc, le rouge, le jaune, le noir
n'étaient pas encore des couleurs utilisées
pour désigner les gens.

Le ciel et les enfants

À cette époque, la terre était plate. Complètement plate. Mais contrairement à ce qu'on peut croire, la vie n'était pas « plate » du tout !

Quand la terre était plate, les gens étaient heureux. Les enfants étaient heureux, les adultes étaient heureux, les animaux étaient heureux... mais ça, ça n'a pas changé.

Les enfants étaient heureux parce qu'ils pouvaient courir libres, au loin, droit devant jusqu'à l'horizon. Et les parents étaient heureux parce qu'ils pouvaient les voir de loin sans avoir à se lever de leur fauteuil.

Mais un jour - parce qu'il faut un « mais » dans une bonne histoire -, un jour, le ciel a décidé de descendre, de descendre, de descendre... On ne sait toujours pas pourquoi aujourd'hui, la science ne l'explique toujours pas ; mais le ciel est descendu. Il est tellement descendu que les grands, les adultes, les parents ont été obligés de se baisser la tête... pour ne pas se cogner la tête sur le ciel.

Et ils vivaient comme ça, la tête baissée.

Et preuve que mon histoire est vraie : vous avez déjà vu dans la rue des gens marcher la tête baissée, n'est-ce pas ? Eh bien ça, c'est ceux qui ne savent pas que le problème est réglé et qu'ils peuvent redresser la tête ! La prochaine fois que vous en verrez un, il faudra lui dire :

« Hé ! tu peux lever la tête! Tu ne vas pas te cogner la tête sur le ciel, il est haut maintenant ! »

Mais à cette époque, le ciel était bas et les gens avaient raison de se baisser la tête. Et les enfants, qui se voyaient grandir un peu chaque jour, savaient qu'ils allaient bientôt se cogner la tête sur le ciel, et qu'ils allaient devoir vivre la tête baissée comme les grands.

Les adultes leur disaient :

– Oh! c'est pas grave de vivre la tête baissée, on s'habitue!

Les enfants ne répondaient rien, mais dans leur tête ils se disaient : « Non! Nous, on veut pas vivre la tête baissée, on veut vivre la tête droite! »

Alors, les enfants se sont réunis. Et ils ont réfléchi. Ils ont beaucoup réfléchi. Ils ont tellement réfléchi qu'ils ont trouvé la solution :

– Oui! On va prendre des grandes branches et tous ensemble, parce que l'union fait la force, on va cogner sur le ciel pour lui faire comprendre qu'il faut qu'il retourne là-haut!

C'était facile d'attraper les branches, parce qu'avec le ciel tout bas, les arbres poussaient horizontalement.

Ils ont tous pris leur grand bâton dans la main et ils ont compté pour prendre leur élan :

– À la une... à la deux...
et à la trois!

LE CONTEUR

Et à la trois, qu'est-ce qui s'est passé ?

UN PETIT GARÇON

Le ciel est tombé par terre!

LE CONTEUR

Non.

UN PETIT GARÇON

Le ciel a explosé!!!

LE CONTEUR

Hum ! Vive les scénarios catastrophes!... Non!

UNE PETITE FILLE

Mais non! Ils ont fait des trous.

★★★

Oui! Ils ont fait des trous dans le ciel, des centaines de trous dans le ciel. Autant de trous qu'il y avait de bâtons. Autant de bâtons qu'il y a eu de trous.

Oh! les adultes étaient contents! Ça leur prouvait qu'ils avaient raison de vivre la tête baissée. Ils disaient :

– Arrêtez, les enfants! Vous abîmez le ciel, c'est tout ce que vous faites! Baissez-vous la tête! C'est pas grave de vivre la tête baissée, on s'habitue! Baissez-vous la tête dès maintenant, vous serez habitués quand vous serez grands.

Les enfants sont partis la tête baissée. Mais est-ce qu'ils se sont découragés ? Est-ce qu'ils ont écouté ce que disaient leurs parents ? Non... c'était de vrais enfants.

Ils se sont rassemblés une deuxième fois. Mais, cette fois, ils sont allés chercher les enfants qui n'avaient pas voulu venir la première fois. Ceux qui étaient malades ce jour-là et ceux qui faisaient semblant d'être malades. Et ils ont pris des bâtons dans leurs mains. Des bâtons un peu plus gros pour faire support avec le ciel.

Et tous ensemble :

– À la une... à la deux...
et à la trois!

LE CONTEUR

Et à la trois..., qu'est-ce qui s'est passé?

UN PETIT GARÇON

Le ciel est tombé par terre, et il s'est cassé
en mille morceaux!

LE CONTEUR

Non !

UN PETIT GARÇON

Il a fait du tonnerre plein de pluie, et puis il a noyé tout le monde!!!

LE CONTEUR

Oh là là! Plus de télé pour vous, les garçons!

UNE PETITE FILLE

Mais non! Ils ont encore fait des trous dans le ciel.

LE CONTEUR

Oui! Ils ont fait encore plus de trous dans le ciel!

Oh! les adultes n'étaient pas contents du tout! Ils répétaient :

– Arrêtez d'abîmer le ciel, les enfants! Un jour, on va vous accuser d'avoir fait des trous dans le ciel. Baissez-vous la tête!

Les enfants n'ont rien dit, mais ils sont allés chercher encore d'autres enfants! Ils sont allés chercher les enfants qui étaient partis en vacances ce jour-là et ceux qui étaient partis à la pêche. Ceux qui avaient préféré rester jouer à saute-mouton ou bien à la balle au prisonnier. Et surtout, surtout, ceux qui ne croyaient pas que c'était possible de soulever quelque chose d'aussi grand que le ciel :

– Allez, venez maintenant!
On a besoin de tout le monde!

Cette fois-ci, il y avait absolument tous les enfants de la terre. Ils ont pris les plus grands bâtons qu'ils ont trouvés. Et c'était aussi les plus longs, les plus larges et les plus lourds! Mais ils étaient vraiment décidés:

– Et… à la une!… à la deux!… et à la trois!

LE CONTEUR

Et à la trois..., qu'est-ce qui s'est passé ?

UN PETIT GARÇON

Ils ont encore fait des trous dans le ciel!!!

***

Oui! À ce moment, il y a eu un tremblement de ciel. Le ciel a bien senti qu'il y avait quelque chose qui le piquait dans son ventre. Il a écarté ses nuages, et il a vu les hommes, les femmes et les enfants qui le regardaient, la bouche et les yeux grand ouverts.

Et le ciel a dit:
– Je vais tous vous écrabouiller!

LE CONTEUR

Non, il n'a pas dit ça. Il leur a dit:

– Oh! Excusez-moi! Je ne savais pas qu'il y avait des gens qui vivaient en dessous de moi. Je devais vous étouffer... Excusez-moi!

Et le ciel, doucement, est remonté... dans le ciel!

Ce jour-là, la lune a pu enfin aller en dessous du ciel pour éclairer la nuit. Et le soleil a pu aller de l'autre côté du ciel, dans le noir, pour se reposer. Et pendant qu'il dormait, il a fait passer ses doux rayons de la nuit à travers les milliers de trous qu'avaient faits les enfants avec leurs bâtons. D'en bas, on voyait ce nouveau spectacle, ces petits points lumineux qu'on appelle aujourd'hui « les étoiles ».

Les enfants ont créé le ciel étoilé.

Et voilà!

Vous voyez, les enfants,
que si on laisse le rêve, le courage,
la persévérance devenir les conseillers du petit roi
qui habite dans notre cœur, il se peut qu'il crée
des choses belles, belles, belles,
belles comme les étoiles.
Celles qui brilleront là-haut, dans le ciel...
dans notre ciel.

Fin de l'histoire du ciel et des enfants.

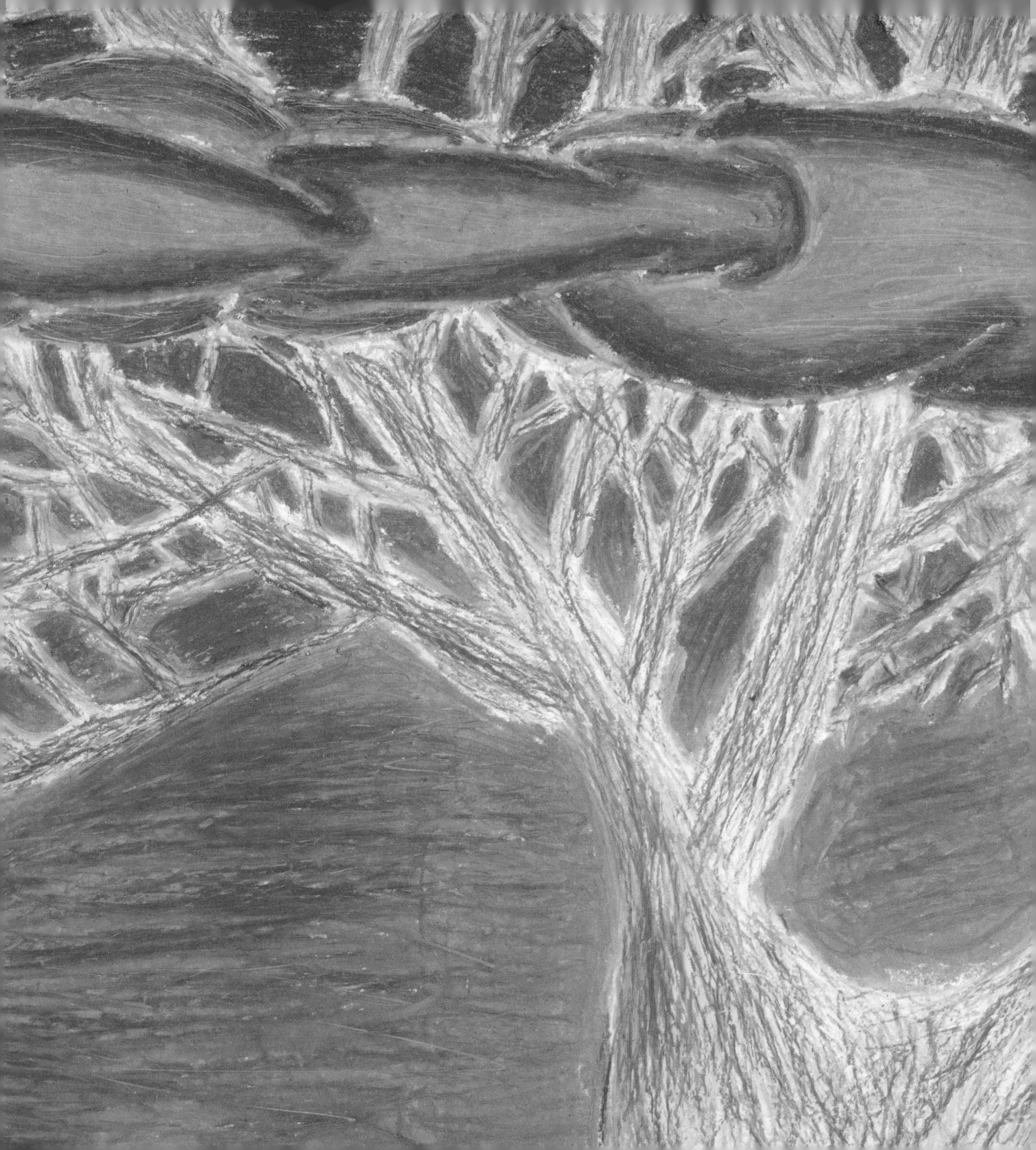

L'arbre nommé Heigib

Une fois que les arbres ont eu toute la place sous le ciel pour s'élever et s'épanouir, il y a eu un arbre qui a poussé, poussé, poussé si haut qu'il semblait vouloir toucher le ciel: «J'ai la place, alors je prends la place!» Il a déployé ses branches sur des kilomètres, et sa tête se perdait là-haut, dans les nuages. Il était le centre de la vie des hommes et des animaux.

Les hommes, les femmes, les enfants et les animaux se sont installés dans le tronc creux de l'arbre. C'était une pièce immense et ils y vivaient heureux.

Chaque jour, les hommes grimpaient au sommet de cet arbre, là-haut, dans le bleu du ciel, plus haut que les nuages. Et avec un grand lasso, ils attrapaient... le soleil!

Ils le tenaient au bout de leur lasso et le descendaient sur la terre. Les enfants le faisaient rouler dans le tronc creux de l'arbre et, avec les hommes, les femmes et les animaux, ils faisaient une grande ronde autour du soleil. Ils chantaient un chant sacré. Ensuite, chacun prenait un morceau du soleil et le mangeait. Tous se nourrissaient de la lumière du soleil; mais il ne fallait pas oublier de garder un petit bout du soleil et de le relancer dans le ciel avant de s'endormir. De cette façon, le soleil avait le temps de se reconstituer pendant la nuit et, au matin, on était réveillés par la lumière éclatante d'un beau soleil tout neuf. Ainsi allait la vie.

Un jour, le hérisson se réveille le premier :

– Tiens, c'est bizarre. Le coq n'a pas chanté ! Hé, girafe, est-ce que tu vois le coq ?

La girafe passe son long cou à travers les branches. Regarde à droite, regarde à gauche, et dit :

– Non, je ne vois rien et je n'entends rien.

– Le coq n'a pas chanté ! lui répond le hérisson.

Le singe, qui passait par là, entend la conversation et décide de faire une bonne blague au coq. Il crie à la ronde:

– Le coq ne veut pas chanter!!! Ha! ha!
Le coq ne veut plus chanter!!! Hé! hé!
Le coq ne veut pas chanter!!!

Cela met le lion dans une colère noire, parce que c'est lui qui avait distribué les rôles à tout le monde, et le coq devait chanter. Il court voir le coq :

– Monsieur le coq!!! Pourquoi n'avez-vous pas chanté ?

– On se calme! On m'a dit de chanter chaque matin au lever du soleil.

– Eh bien ?

– Eh bien, j'attends
que le soleil se lève !

Le lion regarde au ciel et,
en effet, il n'y a pas de soleil
dans le ciel !

Le perroquet, qui passait par là, entend la conversation et, d'un coup d'ailes, s'en va prévenir les hommes :

– Le soleil ne s'est pas levé! Le soleil ne s'est pas levé!

Il était très tard et les hommes, les femmes et les enfants étaient encore en train de dormir. Alors le perroquet répétait :

– Levez-vous, levez-vous!!! Le soleil ne s'est pas levé!
Il n'y a plus de soleil dans le ciel!!! Le soleil ne s'est pas levé!

Levez-vous! Levez-vous!...

Le soleil gisait par terre. Ils avaient oublié de relancer le soleil dans le ciel! Peut-être avaient-ils inventé l'alcool ce soir-là?... Je ne sais pas. Ce que je sais, c'est que le soleil agonisait, comme un poisson sorti de l'eau.

Dans les situations difficiles, on réunissait le grand conseil des hommes et des animaux. C'était une grande table avec, autour, un homme, un animal, un homme, un animal... et, à sa tête, la mante religieuse.

À cette époque, le grand conseil était présidé par la mante religieuse. Elle déclama :

– L'heure est grave, il faut trouver une solution, j'attends vos propositions.

Oh là là! Tout le monde était pétrifié. Personne ne trouvait de solution.

Le renard se disait: «D'habitude, je suis le plus rusé, le plus malin. Oh! mais là, rien ne vient! Je n'arrive pas à trouver!»

Le lion, lui qui est si courageux, disait simplement:

– J'ai peur!!!

C'était le début de l'automne, alors l'ours était fatigué. Il avait déjà trouvé le truc de dormir pour ne pas voir l'hiver passer. Il s'endormait, penché sur la table, la tête posée entre ses pattes. Quant au flamant rose, il préférait tomber dans les pommes. De temps en temps, il ouvrait un œil pour voir si quelqu'un avait trouvé une solution, et il retombait dans les pommes.

Les abeilles et les fourmis en profitaient pour se chicaner :

– Vous dites toujours que vous êtes plus travaillantes que nous. Eh bien, travaillez maintenant!

– Et vous, les abeilles, vous vous croyez plus malignes parce que vous savez voler... Mais chez nous aussi, y'a des fourmis ailées!!! Et votre miel, tout le monde le sait que vous le fabriquez avec votre bave!

Beurk!!!

Bref, vous voyez que les conversations n'étaient pas très constructives. Ça ne volait pas bien haut!

«Mmm! Excusez-moi… » la hyène a passé sa tête entre l'ours et le lion. Et elle a dit :

– Si nous placions le soleil au centre de l'arbre et que nous y mettions le feu? Avec la chaleur des flammes, le soleil reprendrait vie, et on pourrait ainsi le relancer dans le ciel!

Comme c'était la seule solution, on l'a adoptée. On a posé le soleil au milieu de l'arbre, on a arraché des feuilles, on a cassé des branches, on a craqué une allumette et... les premières flammes sont apparues. Ça marchait! Le soleil reprenait vie.

Alors, dans l'euphorie pleine d'espoir, tout le monde a attisé le feu en y ajoutant des feuilles, des branches et son souffle. On dansait de joie, on chantait pour encourager les flammes de la guérison à s'élever plus hautes, plus belles.

Les flammes ont grandi, grandi, grandi jusqu'à lécher les parois de l'arbre. Et celles-ci ont rougi, chauffé... et se sont enflammées! La fumée a envahi toute la cavité de l'arbre. Elle tournoyait comme un diable qui prend son envol. Les yeux brûlaient. Personne ne pouvait plus respirer. Les animaux se sont enfuis. Ils ont tellement eu peur qu'ils en ont perdu l'usage de la parole.

Debout dans la savane, les hommes, les femmes, les enfants et les animaux n'ont rien pu faire d'autre que de regarder leur arbre brûler. Ce géant qui avait été leur maison, leur ami, leur frère. Le regard sensible à leurs danses et l'oreille attentive à leurs prières. Le seul témoin de l'union des hommes et des animaux. Les flammes s'élevaient du sol, traversaient les nuages et allaient se planter dans le bleu du ciel qui vibrait du bleu à l'orange vif.

Plus d'arbre assez haut pour aller cueillir le soleil... Les animaux erraient dans la forêt; nulle part où aller, rien à manger. Au bout de trois jours, la gazelle a surpris son frère lion à regarder sa cuisse d'un œil glouton. Elle a couru. Il l'a prise en chasse. Il l'a rattrapée. Il l'a mangée... et il a trouvé ça bon.

Par instinct, les hommes ont suivi la trace des animaux. Ils en ont attrapé un, ils l'ont mangé... et ils ont trouvé ça bon.

C'est comme ça que tout a commencé.

L'arbre
a brûlé
pendant un an
et un jour. Puis,
il s'est effondré dans
une montagne de braises
incandescentes. À cet instant,
la terre a tremblé ; elle s'est
recroquevillée sur elle-même, comme
un enfant battu qui veut protéger ce qui
reste de lui en se mettant en boule. C'est
comme ça qu'elle est devenue ronde.

En Afrique, au pied du baobab, quand les
Anciens racontent cette histoire, ils disent
qu'au centre de la terre, le feu de l'arbre brûle
toujours. Pour toujours.

Fin de l'histoire de l'arbre nommé Heigib.

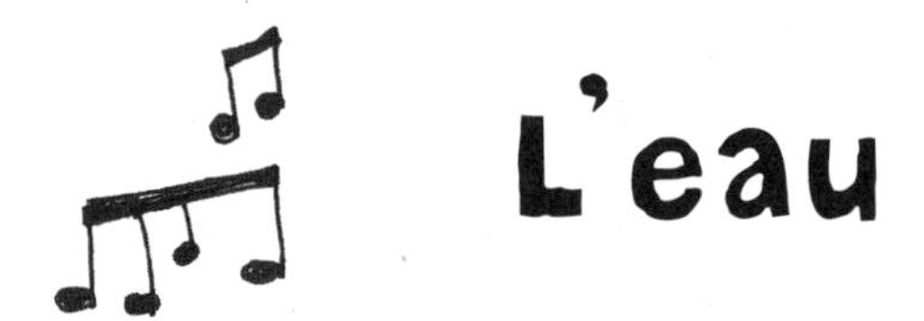

L'eau

L'eau n'est plus vraiment un cadeau
L'air pur n'est plus vraiment un cadeau

L'eau n'est plus vraiment un cadeau
L'air pur n'est plus vraiment un cadeau

Imagine-toi, petit
Qu'on a sacrifié l'esprit
Qui nous a donné la vie

Imagine-toi, petit
Que pour l'amour des profits
On a transformé nos fruits

Le soleil de l'été brûle ta peau comme un rien
Tous les changements du ciel ne disent plus nos destins
On nourrit les baleines de l'Atlantique
Avec des sacs en plastique

L'eau n'est plus vraiment un cadeau
L'air pur n'est plus vraiment un cadeau

Tu ne nous croiras pas, petit
Faire l'amour n'est plus requis
Les labos nous ont séduits
Les enfants sont nos produits

Et ces routes infinies pleines d'automobilistes
Qui extirpent le bonheur d'un accélérateur me
rendent pessimiste

Car l'eau ne sera pas ton cadeau
L'air pur ne sera pas ton cadeau

L'eau ne sera pas ton cadeau
L'air pur ne sera pas ton cadeau

Ne sera pas ton cadeau...

Achevé d'imprimer
en mars 2010 sur les presses de
Transcontinental Métrolitho

Imprimé au Canada – Printed in Canada